D1278199

LES FÉES

est un conte de Charles Perrault,
célèbre dans le monde entier.

Dans cet album, les personnages de Walt Disney
en sont les interprètes.

C'est ainsi que vous reconnaîtrez :

Daisy, dans le rôle d'Aline.
Miss Tick, dans le rôle de Fanchon.
Brigitte, dans le rôle de la marâtre.
Donald, dans le rôle du prince.
Clarabelle, dans le rôle de la fée.

Coproduction Les Livres du Dragon d'Or, Paris.
Mise en images : Atelier Philippe Harchy.
Texte : adaptation de Véronique de Naurois.
Imprimé en Italie. Dépôt légal : avril 1991.
ISBN 2-87881-014-7

WALT DISNEP

Les contes de l'Oncle Picsou

LES FÉES

LES LIVRES DU
DRAGON D'OR

— Mmmm! Quel plaisir
de manger des hamburgers
ou des frites! Avec du ketchup et
de la moutarde, il n'y a rien de meilleur!
Aujourd'hui, l'oncle Picsou a invité ses neveux à déjeuner.
— Pas de hamburger pour moi! s'est exclamé Loulou, je ne
veux que des frites!
Fifi lorgne sur les frites de Loulou et essaie de lui en chiper une.
— Je peux goûter, dis?

— Non! Bas les pattes! Pas question de toucher à mes frites!
— Allons, dit l'oncle Picsou, ne sois pas égoïste! Tu peux bien en donner une ou deux à tes frères... Car, si tu rencontres une fée, tu risques d'être bien puni!
— Une fée? demandent en chœur les trois neveux.
— Mais oui, répond leur oncle. Quand vous aurez fini de manger, je vous raconterai cette histoire...

Il était une fois une jeune fille nommée Aline, très gentille et très jolie, que sa mère traitait durement. Cette mauvaise femme avait une autre fille, Fanchon, aussi méchante et cruelle qu'elle-même... C'est pourquoi elle la préférait.

— Aline, disait la marâtre,
quand tu auras fini la vaisselle,
tu frotteras le plancher et
tu cireras les meubles !
Après, tu iras puiser
de l'eau à la source,
dans la forêt...
Et c'était ainsi
tous les jours.
Quelle triste vie !

Voici Aline au bord de la source. C'est vrai que l'eau y est
fraîche et délicieuse... Mais que la cruche est lourde à porter,
ensuite, jusqu'à la maison ! Tandis qu'Aline remplit sa cruche,
une vieille mendiante s'approche d'elle.

— Bonjour, belle jeune fille, lui dit-elle avec un sourire. Aurais-tu la bonté de me donner à boire? Je suis bien vieille, vois-tu, et j'ai beaucoup de mal à me baisser pour puiser moi-même de cette eau...

Aline, qui n'avait pas entendu venir la mendiante, se retourne, un peu surprise. C'est la première fois qu'elle voit cette vieille femme... Mais, sans se poser plus de questions, elle prend sa cruche et lui remplit aussitôt, avec beaucoup de gentillesse, une grande tasse d'eau fraîche.

— Merci, merci, mon enfant, murmure la mendiante, tu es bien aimable!

Après avoir bu, la vieille femme regarde Aline et lui dit:
— Ce que tu as fait pour moi mérite une récompense! Car il y a des égoïstes qui refusent de partager avec les autres... Aussi, pour te remercier, je te donne ce don: à chaque parole que tu prononceras, il sortira de ta bouche des fleurs et des pierres précieuses!
La vieille femme est en réalité une fée déguisée en mendiante...

Quand Aline rentre à la maison, elle est très en retard, après l'étrange aventure qui lui est arrivée. Sa mère est furieuse.

— Eh bien, Aline, lui dit-elle d'un ton grondeur, que faisais-tu à traîner dans la forêt ?

— C'est incroyable, ajoute Fanchon, alors qu'il reste ici tant de travail !

— Mais..., murmure Aline...

A peine a-t-elle prononcé ce mot que lui sortent de la bouche des roses et des pierres précieuses.

La marâtre est frappée de stupeur. Alors Aline raconte son histoire en détail, et à la fin de son récit le plancher de la maison est couvert de fleurs, de rubis, de diamants et d'émeraudes.

— Puisque c'est ainsi, Fanchon, tu iras aussi, dès demain, à la source, ordonne la marâtre. Il n'y a pas de raison que toi, qui est ma fille chérie, tu n'aies pas le même don!

— Moi, rapporter une cruche d'eau de la source? proteste Fanchon. Je refuse!

Mais sa mère la regarde d'un air terrible.

— Tu iras! lui dit-elle avec fermeté.

Le lendemain, Fanchon s'est mise en
route de très méchante humeur. Mais
la vaniteuse a gardé ses beaux habits,
pour bien montrer à la mendiante qu'elle
est une vraie demoiselle ! Et puis, comme elle
est aussi paresseuse, elle a remplacé la lourde
cruche par un cruchon d'argent ciselé...

A peine est-elle arrivée à la source qu'apparaît une dame splendidement vêtue et couverte de bijoux.

«Ah! tout de même, pense Fanchon, on a compris que je n'accepterais pas de parler à une mendiante!»

— J'ai bien soif, dit alors la dame. Jeune fille, accepterais-tu de me donner à boire? Il fait si chaud!

Bien sûr, elle accepte, puisqu'elle est là pour ça!

Fanchon plonge alors son cruchon dans l'eau, le remplit à ras bord, puis le tend à la dame d'une manière si brutale que celle-ci est toute éclaboussée... Mais Fanchon ne s'en excuse même pas.

— Alors, vous buvez, oui ou non? demande-t-elle. Je n'ai pas de temps à perdre, moi!

— Garde ton eau, ma fille, répond alors la fée. Je n'ai plus soif...

Comme l'avait fait la vieille mendiante devant Aline, la fée a pris sa baguette magique.

—Tu es bien orgueilleuse, dit-elle d'un ton calme, sans la moindre colère, et tu partages de si mauvaise grâce ce que tu possèdes que je te punis ainsi : à chaque parole que tu prononceras, sortiront de ta bouche des crapauds et des serpents !

Un éclair jaillit alors de la baguette magique et vient frapper Fanchon...

A peine est-elle de retour à la maison, sa mère se précipite :
— Alors, ma fille ?
— Eh bien..., répond Fanchon...
Dès ces premiers mots – horreur ! – deux serpents et deux crapauds s'échappent de sa bouche.
Et c'est ainsi qu'en racontant ce qui lui est arrivé, Fanchon va remplir la maison de répugnantes bêtes.
— Assez ! Tais-toi ! dit enfin la mère. Tout cela est la faute d'Aline ! C'est sa faute, oui, j'en suis sûre.

La marâtre sort de la maison en claquant la porte.

— Aline ! Aline ! crie-t-elle, viens ici, petite peste. Attends que je t'attrape... Je vais t'apprendre, moi, à faire sortir des crapauds et des serpents de la bouche de ta sœur !

Aline, qui s'est cachée derrière un arbre, comprend vite ce qui se passe. Mon Dieu, que faire? Il faut s'enfuir tout de suite, sinon, elle le sait, elle sera battue. Pourtant, ce n'est pas sa faute si Fanchon est orgueilleuse, arrogante et égoïste.

Pauvre Aline! Comme elle est malheureuse, perdue dans la forêt. Elle se demande où elle va vivre désormais.

— Allons, ne pleure pas! lui disent ses amis les écureuils, les lapins et les oiseaux... Nous sommes là, nous!

— Je sais bien, sanglote Aline, mais
je ne pourrai plus jamais retourner à
la maison ! Ma mère et ma sœur sont trop
furieuses contre moi...
C'est alors qu'un beau prince vient à passer...
«Qui est donc cette jolie jeune fille qui
paraît avoir tant de chagrin ?» se demande-t-il.
Intrigué, le prince s'approche.
— Ne craignez rien, demoiselle, dit-il
très doucement, je ne veux que votre bien !
Racontez-moi les raisons de votre
tristesse, et je serai heureux de vous aider.

Dès qu'Aline prononce ses premiers mots, le sol se couvre de roses et de pierres précieuses. Le prince ouvre de grands yeux, il n'en revient pas. Et puis, aussi, quelle extraordinaire histoire !
— Venez avec moi, demoiselle ! Je vous emmène au château de mon père.
Le prince saisit la main de la jeune fille, la fait monter sur son cheval, et déjà il sent qu'il va l'aimer...

Pendant ce temps, dans la maison d'Aline, la marâtre est restée seule avec Fanchon. Mais celle-ci n'est plus du tout sa fille chérie, oh! non. Car chaque fois que Fanchon ouvre la bouche, il en sort des crapauds et des serpents. Cela grouille sur le sol. C'est affreux!

— Assez, assez, hurle soudain sa mère. Fanchon, je te chasse! Va-t-en, et ne reviens plus jamais!

Fanchon l'égoïste est bien punie; quant à la marâtre, elle va rester seule.

Et Aline? Oh! pour elle, qui est si douce et si gentille, la vie est devenue magnifique. Le prince l'a épousée. Et, chaque fois qu'elle lui murmure des mots d'amour et de bonheur, des flots de fleurs et de pierres précieuses viennent rouler à leurs pieds. Tout cela pour un verre d'eau qu'Aline sut donner un jour, de bon cœur, à une vieille et misérable mendiante.